KB171832

존재만으로
귀한
너, 너, 너

존재만으로 귀한 너, 너, 너

발 행 2023년 12월 1일
저 자 최혜진
펴낸이 한건희
펴낸곳 주식회사 부크크
출판사등록 2014.07.15.(제2014-16호)
주 소 서울특별시 금천구 가산디지털1로 119 SK트윈타워 A동 305호
전 화 1670-8316
이메일 info@bookk.co.kr

ISBN 979-11-410-5478-6
www.bookk.co.kr

존재만으로

귀한

너, 너, 너

최혜진 지음

CONTENT

프롤로그

"너흰 존재만으로도 귀해"

제가 아이들을 처음 만날 때, 가장 먼저 건네는 말입니다.

이 한마디가 아이들에게는 꽤 강렬한 듯합니다. 자신이 귀한 존재라는 걸 타인의 입으로 들었을 때, 아이들의 반응은 각양각색입니다.

– 아우 징그러워.

사춘기가 온 아이는 이렇게 반응하기도 하고요.

갑자기 눈물을 글썽이며 자신을 다독이는 아이도 있어요.

'요즘 아이들을 다루기가 힘들지 않냐.'

라고 물어도 제 생각은 늘 같습니다.

"아이는 그래봤자 아이다."

미디어 매체가 발달하면서 아이들이 어른들의 문화를 많이 배워요. 그래서 영악하다고들 하죠. 그러나 아이는 그래봤자 아이예요.

우리 성인들도 '경험이 많냐, 적냐.' 에 따라서 하는 생각이나 태도가 빤히 보이잖아요.

우리 아이들을 무조건 예뻐해 주세요.

어떠한 행동을 했을 때 예뻐하는 조건 말고, 존재만으로도 예뻐해 주세요.

그러면 아이들은 변합니다.

다소 시간이 걸려도 분명히 바뀌어요. 그래봤자 아이니깐요.

이 책에서는 제가 만난 중학생 다섯 명과 고등학생 여섯 명의 이야기가 담겨 있어요. 다양한 모습으로 머무르는 아이들의 모습에 집중해 주세요.

그리고 제가 연구했던 국어 수업 네 가지 방법을 전해 드립니다. 아이들에게 국어가 실생활에서 사용될 수 있다는 것을 알려주고 싶었어요.

경험을 바탕으로 하였으나 오랜 시간이 지나 기억이 다소 각색되었을 수도 있는 점, 양해 바랍니다.

마지막으로 제가 마음껏 활동하고 선생님의 길을 응원해 준 가족이 생각납니다. 남편과 부모님, 그리고 남동생에게 감사의 인사를 전합니다.

더불어 제게 소중한 경험을 남겨 준 우리 학생 여러분들과 제 이야기를 책으로 꺼내 준 전라남도교육청 및 여수 문수중학교 교직원들께도 깊은 감사를 드립니다.

존재만으로 귀한 우리 아이들의 이야기로 들어가 보실까요?

너1

17가지
색을 지닌
17세들

1.

6살 동생과 함께하는 17세의 말이

“저 동생이랑 같이 있어야 해요.”

방과 후 수업의 대상인 한 아이가 말했다.

180이 넘는 큰 키에 빼빼 마른 몸, 그리고 검게 그을린 피부는 시골 아이의 순수한 모습 그 자체였다.

이 아이는 하고 싶은 것도 많고 호기심도 많았다. 그러나 한참 어린 동생을 돌봐야 했다.

이 아이의 아버지는 타지에서 일하고 계셨다. 어머니는 해가 뜨기 전에 가게 문을 올렸고, 해가 다 지고 나면 가게 문을 닫으셨다. 바쁜 부모님을 대신하여 10살 넘게 차이 나는 동생은 이 아이의 몫이었다. 우리는 본 책에서 이 아이를 ‘맏이’라고 칭하고자 한다.

맏이는 하고 싶은 게 많았다. 특히 과학을 공부하여 우주학자가 되고 싶어 했다. 맏이는 우주 관련 도서에 흥미가 있었고, 책을 더 잘 읽기 위해 방과 후 국어를 신청했다.

처음 만난 맏이는 새까맣게 탄, 여느 시골 학생의 모습을 그대로 담고 있었다. 내가 맏이의 생김새를 처음부터 기억하는 이유는 맏이가 내게 한 질문 때문이었다.

"저 방과 후 때 동생 데리고 와도 돼요?"

표정 하나 없이 담담하게 내뱉던 그 질문. 어떠한 감정도 읽을 수가 없었다. 그 시기 아이들이 그렇듯이, 시니컬한 모습이 멋이라고 생각했을까.

이유가 궁금하였으나 굳이 묻지 않았다. 때가 되면 다 알게 되리라.

"그래? 데려와."

"네"

맏이는 여전히 무표정한 모습으로 휙 돌아갔다.

그렇게 한 주가 더 지났다. 일주일이 지나서 데려온 동생은 예상 밖이었다. 생각보다 더 어린 꼬마 아이였다. 동생이라길래 한두 어살 차이 나는 동생이라 추측했었다.

그러나 맏이가 데려온 동생은 여섯 살이었다.

여섯 살 꼬마 아이는 형과 다르게 매우 하얬다. 형이 얼마나 소중하게 보호하고 다닌 걸까. 까무잡잡한 형의 피부와는 다르게 6살 꼬마 아이는 통통하고 뽀얬다. 인사도 곧잘 했고, 환한 웃음이 매력적인 아이였다.

보통 6살의 남자아이는 데리고 있기가 쉽지 않다. 이 꼬마 아이는 마구 뛰어다닐 법도 한데, 조용했다. 아이는 아주 익숙하게 한쪽 구석에 앉아서 책을 꺼내 들었다. 그리고 아무런 소리도 내지 않은 채 책을 읽어나갔다.

꼬마 아이가 조용하니 걱정할 게 없었다. 시야에서 얌전히 있는 것을 확인하니 원래 방과 후 학생들에게도 신경을 쓸 수 있었다. 이내 문제를 풀고 있는 맏이의 모습이 눈에 들어왔다.

"맏이는 수업 끝나고 뭐해?"

"동생 밥 차려줘야 해요."

맏이의 대답은 나의 질문이 끝나자마자 튀어나왔다. 얼마나 당연한 일이고, 자연스러운 일이었길래 기계처럼 튀어나올까.

맏이의 나이는 17세. 고작 열일곱이다. 본인도 부모님께서 해주신 밥을 먹고 싶을 텐데, 동생의 밥을 차려줘야 한다고 말한다. 이윽고 내가 다시 물었다.

"뭐랑 먹는데?"

"엄마가 3분 카레랑 3분 짜장 사놓으셔서 데우면 돼요."

마음이 아팠다. 동생을 챙겨야 했던 맏이의 입장에 공감해서일까. 나는 곧장 맏이의 어머니께 전화를 걸었다.

나는 대체 무슨 용기가 났던 걸까. 대학 졸업한 지 1년도 안 된 새내기의 패기였을지도 모르겠다.

"어머니, 안녕하세요. 맏이의 선생님입니다."

어머니는 이미 알고 있었다. 맏이가 어린 동생을 데리고 수업 듣는다는 것을.

동생까지 맡기게 되어 너무나 미안해하는 어머니를

도와주고 싶었다. 어린아이들만 집에 놔두고 손님을 맞아야 하는 어미의 마음이 오죽 복잡할까.

“어머니, 제가 가끔 저녁에 아이들 밥을 차려줘도 될까요?”

“아유, 그래 주시면 너무나 감사하죠. 제가 냉장고에 재료들 넣어놓겠습니다.”

어머니의 대답은 1초의 고민도 없이 바로 나왔다. 얼마나 오랫동안 아이들의 밥을 걱정했던 걸까.

이 소식을 전했을 당시 맏이의 반응은 여전히 덤덤했다. 그의 대답이라곤

–네

가 전부였다.

나는 4시 반쯤 퇴근하고는 앞장서는 ‘맏이’를 따라갔다. 발목에 따라 핀 코스모스가 가을바람에 살랑이는 날이었다. 약간의 언덕으로 이어지는 돌계단을 밟고 올라서니 정갈한 전원주택 하나가 나왔다.

– 여기예요.

떨리는 마음으로 현관문을 따라 들어갔다. 익숙한 꼬마 아이 하나가 뽀로로를 보며 간식을 먹고 있었다. 아이는 앉은 자리에서 내게 꾸벅 인사를 했다.

3분 카레만 먹었을 아이들에게 카레를 직접 요리해 주기로 했다. 나 역시 카레를 만들어 본 적이 없다. 자취 경험이 없기 때문이다. 그래도 검색창에 '카레 만들기'를 넣어서 레시피를 찾기 시작했다. 그리고 냉동실에 얼어있는 당근과 감자를 찾아 쏭쏭 썰어 넣었다.

찬장 한구석에 있던 일본식 고체 카레 가루를 찾아서 냄비에 넣었다. 카레 특유의 고소하고 달큰한 냄새가 온 집안에 번졌다.

냄새만으로도 시끄러울 법한데, 아이들은 얌전하다.

'맏이'는 조용히 방에 들어가 숙제하고 있고, 어린 동생 역시 뽀로로를 소리 낮춰 보고 있다.

"애들아, 밥 먹어~"

– 잘 먹겠습니다.

아이들이 와서 숟가락을 든다.

변변한 반찬도 없이 그저 밥 한 끼 먹이는 건데, 정말 잘 먹는다. 바닥까지 싹싹 긁어 먹은 아이들은 익숙한 듯이 싱크대에 그릇을 넣는다. 그리고 몸을 돌려 내게 다시 꾸벅 인사를 한다.

이후로도 몇 번 더 아이들의 저녁밥을 담당했다. 자주는 아니었으나 여유가 있으면 몇 번씩 더 해줬다.

아이들은 고맙게도 별 볼 일 없을 내 요리를 맛있게 먹어줬다. 아마 자신들에 대한 애정이 함께 있어서 더 맛있었을 것이다.

그러던 어느 날, 내가 불의의 사고로 무릎 십자인대가 파열되면서 더 이상 '만이'를 볼 수 없게 되었다. 학교에 갈 수 없었기 때문이다.

몇 달이 지나고 수술이 끝나 학교에 갈 때쯤, '만이'의 소식을 다시 전해 들을 수 있었다.

– 선생님, 이거 '만이'가 전해달래요.

병문안을 온 동료의 손에는 예쁘게 접힌 편지 하나가 있었다. 그 종이에는 익숙한 필체가 빽빽하게 적혀 있었다.

– 선생님께.
선생님 안녕하세요. 저 만이에요.
선생님 덕분에 매일 수업 오는 게 좋았어요.
동생 걱정을 안 해도 됐고, 맛있는 밥을 해주셔서 감사합니다.
(중략)
얼른 나으셔서 학교에서 또 뵙고 싶어요.

아직도 그 편지를 읽었을 때의 장면이 또렷하다. 밥해 준 것 이상의 마음을 받았기 때문이다.

아이는 아이다.

아이들은 표현이 서툴 뿐, 고마움과 미안한 감정을 잘 느낀다.

세상에는 이유 없이 네 편인 사람이 있다는 사실, 그런 어른이 선생님이 될 수도 있다는 사실.

그 이유 하나만으로 아이들이 더 따뜻하게 자랄 수 있지 않을까.

2.

기말고사와 17세의 구급차

반	번호	이름	학생 희망	부모 희망
7	14	임세웅	의사	의사
7	15	이경준	변호사	사업가
7	16	이민재	의사	변호사

값비싼 아파트들이 즐비한 이곳. 아이들은 대체로 예의 바른 듯하면서도 각자의 삶에 바쁘다.

아이들과 멋없는 장난을 치거나 안부를 묻긴 어렵지만, 또 그것대로의 매력이 있는 동네.

위의 표는 1학년 7반 아이들의 상담 내용이다.

역사적으로 뿌리 깊은 명문고등학교답게, 학교 분위기는 대체로 엄숙했다. 열일곱이 낼 수 있는 생기발랄한 웃음소리는 적어도 교내에선 기대하기가 어려웠다.

이에 걸맞게 선생님들도 대체로 조용했다. 각자 자기의 자리에서 행정 업무나 교재연구를 했다.

고개 숙여 수능 문제들을 풀다가,

누군가

– 빵 드세요.

라고 하면 고개를 들어서 한 번 여유를 가질 뿐이었다.

그래도 참 좋았다. 별다른 사고 없이 교재연구만 열심히 하면 되니까. 다른 학교에 비해 행정 업무가 많지도 않았다.

오로지 수업. 수업에 최선을 다하면 모두가 만족하는 학교였다.

그렇게 학교에 막 적응하려 할 때, 심상치 않은 소리가 어렴풋이 들려왔다.

– 이번엔 쓰러지는 애 빨리 조치할 수 있도록 준비해 놓으세요.

누가 쓰러진다는 걸까.

단박에 감이 오진 않았다.

그러려니 하는 것도 잠시, 며칠 지나지 않아 그 이유를 알 수 있었다.

– 빨리, 빨리

7반의 세웅이가 쓰러졌다. 가만히 자리에 앉아 있다가 옆으로 픽– 쓰러졌다. 공부에 대한 압박으로 갑자기 숨 막혀하고 쓰러졌다고 한다.

119 구급대가 오고 세웅이를 데려가려 하자, 옅은 숨결을 간신히 내뱉는 세웅이가 다급하게 말했다.

– 안... 돼요... 공부...해야... 돼...

힘이 없는 그 말은 공중에 분해됐다. 요란하던 119 구급차는 세웅이를 데리고 떠났다. 한바탕 소동이 지나갔는데도 약간의 웅성거림만 있을 뿐, 학교는 대체로 조용하다.

“ 선생님, 세웅이 괜찮은 거예요?”

“네. 과호흡이 오긴 했는데, 수액 맞고 있다네요.”

세웅이는 국문학사 논문을 가지고 와서 내게 질문할 정도로 학문 그 자체에 대한 호기심이 많은 친구였기에 더 마음이 갔다.

— 진짜 괜찮은 걸까.......

선생님들의 말씀으로는 매년 있는 일이라고 하신다. 학교 내신 시험이 있을 때마다 한 두명은 꼭 스트레스와 호흡곤란으로 쓰러진다고 하신다.

모두가 경쟁하고 부모님의 명성이 압박인 아이들. 학구열 자체가 높다 보니 아이들의 피로도가 상당했다. 열일곱 만의 생기발랄한 기운 역시 아이들은 사치라고 느꼈을지 모르겠다.

바로 다음 날, 세웅이는 한층 핼쑥해진 얼굴로 돌아왔다. 터덜터덜 걷던 세웅이가 잔잔한 미소를 지으며 꾸벅 인사를 했다. 나는 그런 아이를 굳이 불러서 물었다.

" 몸은 좀 괜찮아?"

세웅이는 말없이 고개를 끄덕인다.

“ 밥은 좀 먹었어?”

세웅이가 고개를 좌우로 살짝 젓는다.

“네가 어떤 모습을 하고 있든 나는 너를 응원해. 언제나 들어줄 준비가 되었으니 하고 싶은 말이나 질문이 있으면 언제든 찾아와.”

세웅이가 다시 꾸벅 인사를 하고는 자리를 떴다.

언제나 네 편인 어른이 있다는 사실, 그걸 알려주고 싶었다.

학구열이 높은 학교는 아이들 개개인이 자신만의 꿈이 있고, 그 성취감을 느끼며 일상을 살아간다. 그런 점에서 나는 아이들이 공부에 몰두하는 모습이 참 자랑스럽다. 건강을 좀 더 챙겼으면 좋겠지만 다소 안쓰러운 부분이 있더라도 그 열매는 달콤하니깐.

세웅이의 다음 모습은 기억이 잘 나지 않는다. 그저 어렴풋이 나는 기억은 쓰러진 이후에 세웅이의 성적이 이전보다 떨어졌다는 것이다.

하지만 그 일을 계기로 자신의 공부 전략을 대폭 바꾸거나 삶에서 다른 의미 있는 부분을 발견했을 것이다.

과연 세웅이는 어떤 생각을 하고 지냈을까. 그리고 지금쯤 어떤 어른이 되어 살아가고 있을까.

그게 무엇이 됐든 청소년기를 치열하게 보냈던 아이의 인생에 행운이 가득하길 바랄 뿐이다.

아이들 덕분에 나도 매 시간마다 교재연구를 했다.
서로 성장할 수 있어서 참 멋있는 시간이었다.

3.

수업 외에 관심이 많은 17세의 반장

"자리에 앉아라."

간결한 명령조로 문장을 맺는다. 설명은 아이들이 다 조용해지고 나서 해도 된다.

남학교에서 일하는 여교사는 행동은 물론, 말투도 꽤 터프해진다.

점점 명령어가 많아지고 목소리는 단호하다. 남학생들은 생물학적으로 간결하고 정확하게 입력해 주어야 행동하기 때문이다. 입력만 잘 되면 출력도 좋다. 정확한 지시어가 전달되면 대부분 알아듣는다. 그리고 상당수가 행동한다.

아이들은 아직 순수하므로 가능한 일이기도 하다.

그러나 그중에서도 유독 눈에 밟히는 학생 하나가 있었다. 바로 1학년 2반의 반장이었다. 성실한 것 같으면서도 은연중 주변에 대한 불만과 냉소적인 모습이 보이는 이 친구.

우리는 이 친구를 '반장'이라고 일컫고자 한다.

반장이는 선생님의 지시어를 들은 체하지 않았다. 선생님이 두어 번 더 말하고 나면 그제야 잔뜩 짜증이 난 얼굴로 인상을 구기며 앉았다. 그래서 반장의 첫인상은 늘 엉덩이였다. 등지는 모습이 제일 먼저 보였기 때문이다.

반장이의 자리는 항상 앞에서 두 번째 자리.

반장이는 정면에 있는 교탁을 등지고, 서서 수다를 떠느라 바빴다.

그렇다고 문제아는 아니었다. 요청한 과제는 제때 해서 냈고, 수업을 딱히 방해하진 않았다. 오히려 수업 내용에 호기심이 많아서 이리저리 교과서를 둘러보는 아이였다.

그런 반장이에게 학교의 어른들은 투명 인간이었다. 마치 상대하기 싫은 생물을 앞에 둔 듯이.

3월의 어느 날도 반장이는 여전했다. 교탁 중앙을 등지고 선 채, 선생님이 오든 말든 수다 삼매경에 빠져 있었다.

“자리에 앉아라.”

일순간 모두가 조용해졌다. 그러나 반장이는 아무것도 들리지 않는 듯, 수다를 계속 떨기 바빴다.

반장이의 수다 상대는 내 눈치를 힐끔힐끔 보며 아무 말도 하지 못했다. 반장이에게 큰소리를 치진 못하고, 내 눈치만 보고 있었다. 이들의 관계가 수직적인가 보다. 이런 힘의 관계는 내가 깨줘야지.

이윽고 내가 입을 뗐다.

“니는 내한테 맨날 엉덩이만 보여주노.”

그 순간 아이들의 시선이 반장이의 엉덩이에 집중됐다. 갑작스런 시선의 집중에 반장이의 얼굴이 붉으락푸르락 해지더니 이내 씩씩댄다.

‘아, 어떻게 해야 하지.’

당연히 무시할 줄 알았는데, 이번 일이 반장이에겐 꽤 타격이 큰가 보다.

이 일을 반장이의 담임선생님께 알렸다. 다행히 반장이의 담임선생님은 고경력에 아이들을 다루는 기술이 신의 지경이신 선배 교사였다.

담임선생님은 반장이의 소식을 자주 접해서 익히 알고 계셨다. 그러나 직접 보신 게 아닌 만큼 조심스레 접근하고자 했고, 이번 시간의 일로 큰 결심을 하신 듯했다.

학교 교무실 맞은편에는 은밀한 교사 휴게실 하나가 있었다. 그곳에서 담임선생님과 반장이가 먼저 상담하고 있었고, 어느 정도 이야기가 무르익어 갈 때, 문자 한 통이 왔다.

– 선생님, 교사 휴게실로 오시겠어요?

반장이 담임선생님의 문자였다.

조심스레 문을 열고 들어간 자리에는 반장이와 담임선생님이 나란히 앉아 있었다. 반장이는 꽤 많이 운 듯 코끝이 빨개져 있었고, 선생님은 아이에게 이렇게 말했다.

"얼른 선생님께 말씀드려."

단호하고 힘 있는 선생님의 말을 뒤로 하고, 반장이는 아무 말도 하지 않았다.

"내가 아들을 그렇게 가르쳤어? 내가 내 새끼들 나가서 욕먹는 거 싫다고 했지! 잘하는 놈이 왜 그래!"

우렁찬 선생님의 호통이 빈공간을 메웠다.

"잘못했습니다. 선생님. 앞으로 예의바르게 행동하겠습니다."

반장이의 대답이 대번에 나왔다.

"한 번만 더, '내 새끼 잘 못하더라.' 얘기 나오면 가만히 안 있을 거야. 나는 우리 학교랑 결혼했다고 했지? 엄마 속상하게 하지 마. 가, 아들."

반장이가 일어나서 꾸벅 인사를 하고는 돌아간다. 아이가 완전히 나간 것을 확인한 담임선생님이 무서웠던 표정을 풀고 온화하게 웃으며 돌아본다.

– 많이 속상했죠? 저 녀석이 그런 애가 아닌데, 진로 문제로 부모님과 다툼이 좀 있었나 봐요. 언젠가부터 학교가 의미 없다고 말하면서 삐딱하게 행동하더라고요. 그래도 우리 아들들 예쁘게 봐주세요. 제가 더 교육하고 다독이고 할게요.

"제가 경력이 부족하여 어떻게 대처해야 할지 몰랐어요. 선생님 덕분에 많이 배워 갑니다."

– 아니에요. 저는 담임에다가 아이들이랑 같이 야자하며 밤늦게까지 많이 있었잖아요. 래포가 있었기 때문에 제 말은 듣는 거예요. 언제나 래포가 가장 중요해요.

이날을 기점으로 반장이는 다른 행동을 하지 않았다. 언제 그랬냐는 듯이 조용히 수업을 들었다.

내가 직접 해결한 건 없을 수 있다. 그러나 나는 선배 선생님의 대처법을 보고 많은 것을 배우고 느낄 수 있었다.

가장 중요한 것은 래포. 즉, 친밀감이 먼저 형성이 되어야 아이들에게 이야기하는 것도 먹히는 것이다.

우리가 교육 심리에서 상담학을 공부할 때 배우지 않았는가. 오늘도 아이들과 래포를 먼저 형성하기 위해, 어떤 질문을 할지, 그리고 얼마나 더 오랜 시간을 보낼지를 고민해야겠다.

4.

선생님의 주니어가 될 17세의 근육

아이들에게 선생님은 여러 의미가 있다. 때론 많은 시간을 함께하는 친구 같기도 하고, 부모님 대신 훈육을 해주는 보호자가 되기도 하며 어떨 땐 인생을 먼저 살아본 선배의 역할을 하기도 한다.

선생님은 가장 오랜 시간을 마주하는 어른이다. 같은 공간에서 부모님보다도 접하는 기회가 잦다.

그러다 보니 선생님의 모든 모습을 따라 하려는 학생들도 존재한다. 옷이나 작은 소품을 따라 하는 것은 물론, 선생님의 몸짓 하나도 동경이 될 수가 있다.

예전에 모교의 한 여고에서 일을 한 적이 있다. 토끼 같이 귀여운 아이들은 지역 내에서 '1등 학교' 답게 공부도 잘했다. 그리고 여러 분야의 문화에 관심이 많았다.

예를 들면, 오늘 선생님들이 신고 온 구두나 가방, 그리고 옷 등에 관심이 많았다. 그게 아이들만의 관심 표현법이었을지도 모르겠다. 아이들은 선생님의 작은 변화도 빠르게 알아채고는 말을 건넸다.

이때의 나는 자기 계발 차원에서 준비하는 게 있었다.

감사하게도 학교의 교장, 교감 선생님께서 선생님들의 취미 생활을 독려해 주셨다.

'선생님이 건강해야 아이들이 행복하다'

라는 말씀을 자주 하시며 선생님들에게 평생교육학습관 등을 자주 추천해 주셨다.

나는 헬스장을 등록했다. 그리고 보디빌딩 대회에 용감하게 도전했다. 아이들에게도 영감을 주고 싶었다. 어차피 운동하는 거라면 나같이 평범한 사람도 높은 꿈에 도전할 수 있다는 것을 보여주고 싶었다.

맨날 아이들에게 '5등급도 공부하면 1등급이 될 수 있다.' 라고 말하는데, 아이들이 어떻게 믿겠는가.

선생님이 먼저 보여줘야 한다. 평범한 몸도 보디빌딩 대회에 설 수 있다는 걸 증명해 줘야 하지 않겠는가.

예상대로 아이들의 호응은 뜨거웠다.

처음에는 그저 흥밋거리로 보던 아이들도 점점 한 몸이 되어 응원했다. 카카오톡 등으로 아이들의 작은 목소리는 힘이 되어 다가왔다.

나는 내가 변하는 모습을 매일 짧은 영상으로 촬영했다. 그리고 편집 없이, 날 것 그대로의 모습을 유튜브에 올렸다.

아이들은 점차 변화하는 선생님의 몸을 신기해했다. 열심히 운동하는 모습을 흉내 내기도 하고, 보디빌딩 선수의 포즈를 따라 하기도 했다.

– 저는 선생님의 주니어가 될 거예요.
아이들이 자주 말했다.

"왜?"

– 무언가 도전해서 결국에는 해내는 사람이 되고 싶어요.

여고생들은 쉬는 시간만 되면 교탁 앞에 나가 보디빌딩 포즈를 따라 하고 누가 더 잘하는지 평가하는 걸 놀이로 삼곤 했다.

그러다 보면 아이들이 자연스레 건강에도 관심을 가

지고, 삶의 일부로 받아들이지 않을까.

아이들은 선생님의 행동 하나에도 관심이 많고 따라 하려고 한다. 오늘도 내가 무심결에 한 행동을 아이들이 보고 있음을 상기하며 하루를 보내야겠다.

▲ '선생님의 주니어' 가 되겠다는 아이들.
쉬는 시간마다 교탁에 나와서는
무대 포즈를 연습하곤 했다.

5.
22명의 이어폰과 17세의 반

내가 나고 자란 지역은 학구열이 들끓는 지역이었다. 소위 말하는 엘리트들이 모인 지역. 나의 첫 교직 경험과 경력은 모두 그런 아이들만 만날 수 있었다.

아이들은 단어 하나에도 민감했다. 각종 논문자료를 찾아와 반문하기도 했다. 내 과목과 같은 인문계열의 선생님들에게 재시험은 일상이었다. 관점에 따라 해석이 달라지는 경우가 많았기 때문이다. 심지어 나는 수행평가 기준을 명확하게 해달라는 대자보가 붙은 적도 있다.

어쩌다 보니 그런 지역을 떠나게 됐다. 평생 살 줄 알았던 고향을, 결혼하면서 떠났다. 왜냐하면 내 직업이 남편의 직업보다 지역을 옮기는 게 좀더 쉬웠기 때문이다.

225km 떨어진 타 시도에 이사를 왔다. 온통 낯선 사투리와 생소한 문화에 적응하기 바빴다. 그러나 그것도 잠시, 운이 좋게 지역의 고등학교에서 근무할 수 있게 되었다.

늘 그랬듯이, 2월에는 수능 관련 문제집을 잔뜩 쌓아놓고 풀었다. 학업에 대한 반짝이는 호기심으로 빛날 아이들의 눈을 상상하며 흐뭇하게 웃었다.

그리고 3월 2일이 되었다. 모든 시작을 알리는 3월의 첫날이었다. 나는 이날을 생생하게 기억한다.

다소 상기된 마음으로 교실 문을 열었다. 그러나 나는 그만, 교탁에 서서 굳어버렸다.

왜냐하면 아무도 나를 쳐다보지 않았기 때문이다. 누군가는 초점 잃은 눈으로 멍하니 있었고, 또 누군가는 다른 과목 문제를 풀고 있었다. 고단한 고3 수험생의 시작을 알려주듯이, 아이들의 얼굴은 지친 기색이 역력했다.

아이들의 얼굴을 찬찬히 살폈다.

– 아이들이 첫날부터 왜 이리 지쳐있을까.

생기를 잃은 아이들의 얼굴 옆에는 모두 무언가 달려있었다. 액세서리처럼 이어폰이 모두 꽂혀있었다.

– 종이 친 걸 모르는 걸까. 아니면 이게 이 학교의 분위기인가.

조용히 이어폰을 낀 학생의 숫자를 세어본다.

– 하나, 둘, 셋, 넷..... 스물둘.

스물둘.

28명의 정원에서 대부분 아이가 이어폰을 끼고 있다.

“애들아, 수업하자.”

적막을 깨는 목소리에 그제야 한둘씩 고개를 들어 나를 쳐다본다. 그러나 여전히 이어폰을 빼지 않은 아이들도 몇 있다.

아이들이 악의가 있는 게 아닌 건 안다. 그냥 하고 있던 것의 흐름을 깨고 싶지 않았을 것이다. 혹은 이게 잘못된 것이라고 알려주는 어른이 없었을 듯했다.

아이들이 문제를 하나 더 풀 시간도 물론 중요하다. 그러나 살아가면서 지켜야 할 예의는 알려줘야 할 듯했다.

사회에 나가서도 선배가 말하거나 관리자가 말하는데

귀를 틀어막고 있으면 안 되니까.

요즘 종종 보인다는 '에어팟을 끼고 일해야 능률이 오릅니다'의 신입이 되면 안 되니까.

"애들아, 이어폰 빼자. 앞에서 사람이 이야기하는데 귀를 막는 건 예의가 아니야. 그럴 의도가 아니었더라도 무시하는 걸로 보일 수 있어."

이 정도 말을 하면 대부분의 학생은 이어폰을 뺐다.

그래도 다음 수업에 들어가면 22명의 이어폰은 어김없이 등장했다.

그러나 22명의 이어폰도 이전과 달라진 점이 있다.

예전에는 선생님이 들어오든 말든 이어폰을 쉬는 시간에 이어서 끼고 있었다. 그러나 이제는 끼고 있던 이어폰을 선생님의 등장과 함께 빼는 학생들이 많아졌다.

문화는 그 구성원이 만들어 가는 것이다. 학교에서는 교사와 학생이 직접 문화의 흐름을 만드는 게 중요하다.

시대가 빠르게 변하고 있다. 이 과정에서 아이들의 마음을 끊임없이 탐구하고 공감하는 작업이 중요하다.

우리가 학급에서 규칙을 유동적으로 조절하여 아이들에게 전보다 더 이로운 과정을 줄 수 있도록 해야겠다.

▲ 열심히 지도 하다보면 아이들도 변한다.

이 사진은 3월 29일에 찍은 칠판 사진이다.
아이들이 모두 이어폰을 빼고, 수업을 집중해서 들은 날이다.

6.

국어가
방과 후
제로인
17세의 학교

"선생님, 방과 후 수업하시겠어요?"

'국 · 영 · 수' 에게 방과 후 수업 선택 기회가 있다고?

처음 이 질문을 들었을 때는 잠시 혼란스러웠다. 이내 고민이 되었다. 진짜 방과 후 유무의 선택권이 있는 건지, 아니면 막내급인 나의 사회적 센스를 보는 건지 말이다.

일단 '하겠다' 라고 대답했다.

내 교직 생활에서 감히 국어가 방과 후를 하지 않은 적이 없기 때문이다.

– 게다가 나는 고3을 담당하고 있으니 더욱 선택권이 없을 거야.

3월 말쯤이 되자 방과 후를 신청한 아이들 명단이 나왔다.

– 하나, 둘, 셋, 넷 ... 여덟. 여덟 명.

8명이었다. 수능에서 국어는 소위 주요 과목으로 불리는데, 8명이다.

– 뭐가 문제일까.

이들은 내가 싫어서 피한 것은 아니다. 왜냐하면 나는 아예 타 시도에서 왔으므로 아이들에게 내 정보는 아예 없기 때문이다.

그렇다면 시대가 변한 것이다.

굳이 학교에서 방과 후나 야간자율학습을 하지 않아도 되니 이런 선택이 나왔을 것이다. 매체가 다양해지면서 아이들이 공부할 수 있는 자료나 경로가 많이 다양해졌기 때문이다.

" 선생님 과목은 몇 명이 해요?"

주위 선생님들께 물었다.

"저희도 10명이 채 안 돼요."

영어든 과학이든 수학이든 간에 다른 과목의 방과 후

사정도 별반 다르지 않았다.

– 왜 학생들은 방과 후 수업을 신청하지 않는 걸까.

나는 문득 궁금했다.

이런 궁금증이 생기고 나서 아이들의 의견을 듣고 싶었다. 나는 아이들에게 설문 조사지를 돌려서 방과 후에 대한 생각을 묻기 시작했다.

– 학원에서 주입식으로 많은 문제를 푸는 게 더 나아요.

– 수업에 관심 없는 애들도 같이 있으니 학습 분위기가 방해돼요.

많은 아이의 의견이 비슷했다.

아이들이 판단했을 때 공교육의 방과 후 수업이 학원과 비교가 된다는 점이 두드러졌다.

그렇다면 변화가 필요했다.

공교육이 탄탄해야 경제적 위치에 따라서 차별받는 아이가 없을 테니까.

아이들의 의견에 따라 먼저 많은 양의 문제를 준비했다. 문제는 기본, 심화, 응용으로 나누어 기존 문제집을 재편성했다.

특히 문법 같은 경우는 예문이 비슷하게 나오는 경향이 있으므로 대폭 바꾸었다.

아이들은 예문이 비슷하면 그 문장만 외워버린다. 그래서 다른 문제가 나와버리면 응용하지 못하는 경우가 있다. 그래서 전체적으로 작문하여 낯선 문장을 제시하였다.

이때, 아이들의 이름이나 아이들이 평소에 좋아하는 아이돌 가수를 넣는 것도 좋다. 아이들의 관심사를 파악하여 여러 상황에 활용하였다.

아이들이 가장 원했던 학원에 갈 필요가 없는 방과 후 수업.

즉 문제를 많이 풀 수 있는 틀을 유지하되 자신의 상황에 맞게 응용하니 반응이 오기 시작했다.

같이 학원 다녔던 친구를 꾀어 수업에 데려오기도 하고, 멀리 있는 학원의 등원을 줄이기도 했다.

물론 보충수업의 의미로 학원 다니는 것은 좋다. 부족한 점을 파악하고 보완하는 일이 필요하기 때문이다.

그러나 학교가 학생들의 학습 욕구를 충족해 주지 못해서 차선책으로 사교육을 선택하는 일은 줄여야 할 것이다.

우리가 아이들의 소구점을 파악하여 차분히 고민하다 보면 답은 반드시 나온다. 우리도 꽤 공부하여 엘리트로 불리는 집단이 아닌가.

연구하면 답이 나온다.

그리고 아이들은 선생님의 열정에 그대로 반응을 보인다. 이것이 아이들을 가르치는 직업의 뿌듯함이 아닌가.

공교육 방과 후가 살아남는 길, 그리고 아이들에게 돈과 상관없이 내 의지만으로 성적이 향상될 수 있다는 기대를 심어주는 일은 반드시 이루어진다.

너2

자유 학기에서 자유로운 15세들

1.

계급장 떼고 맞짱 뜰 15세의 빙상 제왕

우리 국어과에서는 매년 '문학기행' 이라는 이름으로 야외 문학 현장 체험학습을 진행한다. 아이들이 교과서에서만 봤던 배경을 볼 수도 있다.

무엇을 보든지 간에 한 작가의 문학관에서 배우는 지식은 상상보다 훨씬 크다. 현장감 있는 장소가 기존의 배경지식과 합해지기 때문이다.

자신이 직접 걷고, 해설사님의 목소리를 듣고, 내 눈으로 직접 보며 여러 감각을 일깨우는 과정을 통해 교과서 문학의 내용을 온몸으로 받아들인다.

작년의 문학기행은 온통 눈이 내려서 땅이 꽁꽁 얼어붙은 1월의 어느 날이었다. 저마다 복슬복슬한 목도리며 장갑을 끼고는 뜨거운 숨결을 내뿜었던 추운 날이었다. 곳곳에는 설익은 서리가 내려서 어설프게 얼은 빙판길이 깨지기도 했다. 또 어떤 곳은 얼음이 채 녹지 않아서 단단하게 얼어있기도 하였다.

우리는 중학교 1, 2학년 아이들 서른여 명을 데리고 문학기행에 나섰다. 오랜만에 지역을 벗어나서 신이 난 아이들은 자기들끼리 셀카도 찍고 노래도 부르며 여행의 흥을 한껏 올렸다. 일어나서 춤을 추는 아이도 있었다. 이 아이들은 코로나19 등으로 수학여행이나 체험학습 등이 취소된 경험이 많아서, 이런 경험은 더욱 신이나 보였다.

목적지에 도착했다. 우리의 목적지는 소설 '대지'를 쓴 작가 '박경리 문학관'이었다.

이 문학관에 도착했을 때의 일이다. 해설사님이 박경리 소설가의 일생이나 작품을 열심히 설명하고 있을 무렵, 중학교 2학년 남학생 일부 무리가 보이지 않았다. 1분 전까지 함께 있었는데, 갑자기 이탈한 것이다.

부리나케 아이들을 찾으러 나섰다. 아이들에게 가장 중요한 것은 언제나 안전이다.

그러나 그리 멀지 않은 곳에서 그들을 찾을 수 있었다. 아이들은 바깥에 꽁꽁 언 빙판길 위에서 스케이트를 타고 있었다. 그중에 가장 개구쟁이인 아이를 '빙상 제왕'이라고 부르겠다.

"거기 위험해! 이리로 와!"

라고 크게 소리쳤다.

큰 소리에 놀란 아이들은 쭈뼛거리며 빙판길을 벗어났다. 하지만 우리 빙상 제왕이는 마치 안 들리는 것처럼 계속해서 스케이트를 탔다. 전문 스케이트장도 아니었고, 노상인 데다 곳곳에 널부러진 나뭇가지는 너무나 위험해 보였다.

얼른 뛰어가 아이의 상체를 잡고 끌어냈다. 나보다 키가 작았던 아이는 조금 버티다가 이내 끌려 나왔다. 그리고는,

" 저랑 계급장 떼고 맞짱 깔래요?"

라고 내뱉었다.

순간 화가 난 나는

"그래, 계급장 떼면 내가 더 좋아! 내가 선생님이 아니면 너한테 좋게 얘기 안 해!"

라고 응수해 버렸다. 그러고는 이내 다른 아이들을 통솔하러 자리를 떴다.

그렇게 상황은 일단락이 되었으나 마음이 찝찝했다. 아이에게 화를 내버린 것도 마음에 걸렸고, 아이의 말도 마음에 걸렸다.

아이가 어른에게 '맞짱 뜨자'라고 말한 부분을 그냥 넘기는 것은 교육자가 아니다. 지도가 필요했다.

해설사님의 설명을 잘 듣고 있는 다수 아이를 다른 국어 선생님들께 부탁하고는 다시 빙상 제왕이 무리로 갔다.

"아까 맞짱 뜨자고 한 빙상 제왕이 어딨어?"

아이들은 저마다 키득거리며 빙상 제왕이를 가리켰다. 빙상 제왕이는 안절부절못하며 시선을 다른 곳으로 돌렸다. 빙상 제왕이만 조용히 불러서 아이들 눈에 안 띄는 곳으로 데려갔다.

"아까 선생님께 맞짱 뜨자고 한 말의 의도를 알 수 있을까?"

"아, 그냥 한 말이에요."

"알아. 선생님은 빙상 제왕이가 진심으로 그 말을 했을 거라곤 생각 안 해. 그런데 왜 그 순간에 그 말이 떠올랐는지 말해 줄 수 있어?"

한참을 머뭇거리며 생각하던 빙상 제왕이의 답은 예상 그대로였다.

"애들한테 세 보이고 싶었어요."

간혹 중학생에게 '어른을 이겼다'라는 사실은 큰 의미를 가져오기도 한다. 그 사실 하나로 권력자가 된 것처럼 느끼는 아이들이 있기 때문이다.

예상대로였다. 그래봤자 아이는 아이의 티가 난다는 사실을 이들만 아직 모르는 것이다.

나는 조용히 빙상 제왕이의 눈을 바라보고 말했다.

"진짜 센 사람은 마음이 단단한 사람이야. 선생님께 그렇게 말하고 너도 불편했지? 진짜 세지려면 내 안이 단단해야 해. 앞으로 어른한테 함부로 하는 사람은 센 사람이 아니야. 오히려 자기가 약하다는 걸 알아서 일부러 공격하는 사람임을 기억하자, 알겠지?"

빙상 제왕이가 말없이 고개를 끄덕였다.

아이는 아이다. 그러므로 아직은 자신의 심리를 직면하기가 어렵고, 직면하더라도 예쁘게 표현하는 것은 더 어려워한다.

이때, 아이들에게 예쁜 말 표현의 가이드를 줄 수 있어야 한다. 그리고 아이들은 상대방의 내면을 추측하는 것을 어려워하므로 그것을 알려주는 역할을 우리 어른들이 해야 한다.

▲ 소설 '토지' 가 놓여 있다.
그 위에 적힌 문구가 인상 깊었다.

'글을 쓰지 않는 내 삶의 터전은 없었다.'

2.

200짜리와 함께하는 15세의 파죽지세

사람마다 가지고 있는 가치관은 다르다.

그것이 '잘 됐다' 혹은 '잘못됐다' 라고 함부로 말할 순 없다. 그러나 중학생이 가진 가치관이라고 말하기에는 다소 안타까운 한 학생이 있었다.

이 아이의 모든 기준은 '돈' 이었다.

'돈' 이 없는 사람이라고 판단이 되면 무시하기 일쑤였고, 그 사람이 어른이든 친구든 간에 중요하지 않았다. 왜냐하면 이 아이의 가치관은 '관계' 가 아니라 돈이었으니 말이다.

이 아이에게 선생님 역시 '돈' 을 못 버는 존재였다. 따라서 아이에게 교사는 굳이 존중해야 할 대상이 아니었다.

아이가 선생님과 싸우는 일도 부지기수였다. 나는 본 책에서 이 아이를 '파죽지세' 라고 부르고자 한다.

파죽지세는 값비싼 시계나 명품 점퍼를 자주 입고 왔다. 돈이 많다고 으스대는 건 기본이었다. 거기까진 그럴 수 있다.

그러나 부모님께서 '돈이 없는 사람은 친하게 지낼 필요가 없다'라고 말했다고 한다.

위와 같은 말씀을 자주 하셨다고 한다. 아이의 입에서 나온 말이므로 사실인지 아닌지는 알 수 없다.

어쨌든 대부분 언행의 기준은 '돈'이었다.

장래 희망을 이야기할 때도 돈을 많이 버는 직업을 선택하고자 했다.

그런데 돈을 많이 벌면서도 명예나 이름은 갖고 싶은지, 화이트칼라 직종을 주로 입에 담곤 했다.

어찌 됐든 파죽지세는 수업 시간에 자고 있으면 다행인 아이였다. 그러나 나는 이 아이를 매번 깨웠다. 그게 내 교육적 가치관이었다.

– 잠은 차라리 집에서 편하게 자는 것이 낫다.

힘들게 아침잠을 이기고 나와서 자는 것은 모든 게 너

무 아까웠다. 신체적으로도 무리일 것이고, 시간도 너무나 아까웠다. 그래서 나는 매번 아이를 깨웠다.

어느 날 파죽지세의 반 수업이 있는 날이었다. 오늘도 마음을 단단히 먹고, 교실 문을 열었다.

교탁에서 바로 보이는 학생은 파죽지세였다.

파죽지세는 수업 종이 치고 나서도 주변 여자아이들의 머리를 한 대씩 때리고 괴롭히더니 이내 자세를 잡고 잠을 청했다.

얼마 지나지 않아 나는 파죽지세의 등을 두세 번 톡톡거리며 깨웠고, 파죽지세는 몸을 일으켰다가 바로 다시 엎드리는 행위를 반복하였다.

한 네 번쯤 깨웠을까.

파죽지세가 일어나더니 짜증 섞인 목소리로 눈을 크게 뜨며 통명스레 외쳤다.

"선생님, 어차피 200 짜리잖아요. 200 받는데 뭐하러 열심히 해요? 그냥 대충 시간이나 때우다가 가세요."

"너 그게 무슨 말이야?"

"어차피 선생님 경력쯤이면 200만 원 언저리 받잖아요. 200 짜리 일에 왜 그렇게 열심히 해요? 돈도 못 벌면서."

나는 말문이 턱 막혔다. 반 학생들은 재, 또 저런다는 눈빛으로 고개를 떨구었다.

나는 '무슨 말을 해야 하나' 고민했다.

일단은 파죽지세가 알고 있는 금액이 사실이기도 했고, 사실에 기반한 이야기라서 할 말이 생각나지 않았기 때문이다.

수업 종이 치고 아이를 불러서 물어봤다. 교사 월급을 어찌 알고 있으며 누가 그런 말을 했는지를 물어보았다.

"우리 엄마가 그러던데요? 교사는 30대에 결혼하고 애 낳아도 200만 원 언저리라고요. 그래서 교사 같은 거 할 생각 하지 말래요."

그렇다.

아이의 말에 따르면 집에서 부모님의 이야기를 듣고 온 것이다. 부모님이 그렇다고 하시는데, 그 내용에 대해서 내가 '맞다' 혹은 '아니다' 라고 반박할 순 없었다.

그저 내가 아이에게 전한 말이라고는,

"직업을 정하는 기준이 돈만 있는 것이 아니야. 선생님의 기준은 순수한 너희들을 매일 보고, 함께 할 수 있는 것이 좋았어. 그래서 교사를 선택한 거야. 나는 앞으로도 너를 깨우고 최선을 다할 거야. 앞으로는 아까와 같은 말을 하지 않았으면 좋겠구나."

아이는 귀찮다는 듯이 대충 말을 얼버무리며

네-

하고 대답했다.

그리고 재빠르게 교실로 들어가 버렸다. 교실로 돌아

가서는 다시 아이들을 툭툭 건드리며 자신의 힘을 과시했다.

당장은 파죽지세가 변하지 않을 수 있다. 그러나 변하지 않더라도 아이에게 관점의 전환을 천천히 끌어내 줘야 한다.

물론 아이가 한 말이 맞을 수도 있다. 인생을 살아가는 가치관이 '돈' 인 것이 잘못된 것은 아니기 때문이다.

그러나 우리는 교육자이기 때문에 다른 관점으로 접근할 필요가 있다. '

돈' 은 다른 학문과 마찬가지로 기본 인문학과 철학이 바탕이 되어야 한다. 그래야만 '돈' 이 유용하게 활용할 수 있는 도구이자 힘이 될 수 있다.

따라서 우리는 '돈' 이 세상의 중심이 되어버린 파죽지세에게 기본 인문학과 철학에 대해 사고할 수 있도록 지도해야 한다.

여러 관점에서 상황을 바라보는 힘을 길러주는 것에

최선을 다해야 할 것이다. 그래야 아이가 한 어른으로 자라나기까지의 생각이, 균형에 맞을 테니까 말이다.

3.

손의 대화를 즐기는 15세의 수어 여왕

– 당신의 열다섯은 어땠나요?

나의 열다섯은 이미 15세로부터 열다섯 해를 더 훌쩍 넘어버렸다. 그래서 내 열다섯의 기억은 가물거린다.

그러나 아이들의 모습을 보고 있노라면 파편처럼 흩어졌던 그때의 감정이 하나씩 회상되기도 한다.

– 나뭇잎이 굴러가도 꺄르르– 재밌을 나이.

위의 말이 딱 맞는 사람이 15세의 아이들이다. 아이들은 저들끼리 뭐가 그리 즐거운지 손짓 몇 번 펄럭이면 이내 웃음보가 터진다.

나는 줄곧 고등학교에만 있었다. 그래서 중학교의 문화가 막연하기만 했다. 그러나 중학교를 오게 되면서 새롭게 알게 된 중학생들의 분위기가 있다.

바로 아이돌 무대에 매우 진지하다는 것이다.

물론 고등학생들도 아이돌을 좋아한다. 그러나 고등학생들은 아이돌 무대를 보며 흥얼거리는 게 대부분이다.

고등학생들이 즐기는 느낌이라면 중학생들은 모든 걸 따라서 복사하고자 한다.

쉴 새 없이 손을 꼼지락거리며 춤을 따라 한다.

원영 언니가 한 짧은 앞머리도 따라서 자른다. 아이돌들이 뱉은 말투나 행동도 그대로 따라 하려고 한다.

여기까지는 문제가 없다. 그

러나 진짜 문제는 이들이 춤을 춘다고 움직이는 손짓이나 몸짓이 때론 다른 오해를 불러올 수도 있다.

2학년 5반에는 춤을 매우 잘 추는 한 여학생이 있었다. 이 아이는 춤을 잘 추기 때문에 무대에도 줄곧 오르는 학생이었다.

또한 옷 입는 센스나 트렌드도 섬세하게 잘 받아들이는 '요즘 아이'였다.

이 아이는 꽤 성실하여 큰 문제는 없었으나 은근하게

거슬리는 행동 하나가 있었다.

바로 손을 많이 꼼지락거린다는 점이다.

물론 오감을 활용하여 손으로 표현하는 자세는 굉장히 좋다. 손을 움직이면 실제로 더 잘 기억나기 때문이다.

그러나 시험 도중에 손을 번쩍 들기도 하고, 수어를 하는 듯이 손으로 무언가를 계속 표현하기도 했다.

전하고픈 말이 있는가 하여 말을 시켜보면 그건 또 아니라고 한다. 그저 춤을 연습하는 중이었다고 말한다.

하지만 계속되는 오해에 선생님들은 이 아이를 관종으로 보기도 했다.

아이에게 다시 물어봤다.

“왜 그렇게 손을 많이 쓰는 거야?”

“아 그냥 심심해서요.”

"그렇구나. 선생님도 손과 몸을 움직여서 공부하면 더 잘 기억에 남아서 좋았어. 춤 연습하는 것도 멋있어 보여. 그러나 모든 행동엔 때와 장소가 있는데, 네가 자꾸 손을 움직이니 어떠한 수신호 같아서 계속 시선을 뺏기게 돼. 손을 움직이는 것을 조금 줄여보는 건 어떨까?"

"네."

성실했던 아이라 그런지 흔쾌히 대답했다.

그러나 자신도 모르게 다시 손짓하고 춤을 추기도 했고, 여러 번 더 말을 건네고 나서야 아이는 서서히 인식하고 눈치를 보기 시작했다.

이런 아이들은 정형적인 공부 지식을 묻는 일보다는 이렇게 몸으로 표현하고 신체를 움직이는 것에 더 행복을 느낀다.

과연 이 아이를 그냥 두는 것이 좋았을지, 아니면 어떠한 말을 건네어 행동을 교정해야 할지는 아직도 조심스럽긴 하다.

아이에게 더 이득이 되는 쪽으로 지도해야겠다. 이런 사안만큼은 혜안이 넓으신 선배 선생님들의 조언을 구해보아야겠다.

4.

선생님과 놀고 싶은 15세의 팔씨름왕

“ 선생님 저랑 팔씨름해요.”

– 이게 무슨 상황이지?

한 아이가 뜬금없이 내게 다가왔다. 수업하기 싫은 아이들이 아무 말이나 건네는 건 워낙 흔한 일이라 무슨 일인가 생각했다.

나는 수업 노트북에 HDMI 선을 연결하며 상황을 파악하려 했다. 하지만 그 찰나에 내 손은 그 아이의 손과 맞닿아 있었다.

우리는 이 아이를 ‘팔씨름’이라고 일컫고자 한다.

– 축축하게 땀에 절어 습한 손.

별다른 시작 신호도 없이 팔씨름이는 내 손등을 거칠게 바닥으로 내려찍었다. 그리고 이겼다며 양팔을 번쩍 들고 환호했다.

팔씨름이의 신난 포효는 온 교실을 가득 메웠다. 그에 호응하듯이 모두가 웃고 있다.

- 장난기가 어린 팔씨름이의 행동이 재밌게 보이나 봐.

" 선생님, 저도 해요."

싱글벙글 웃으며 옆에 있던 아이가 교탁으로 나온다. 그러곤 팔씨름 자세를 잡는다.

- 두 번 당할 순 없지.

나는 표정 변화 없이 말했다. 그러나 아이의 얼굴은 여전히 웃음기가 가득했다.

" 자리에 들어가. 이런 태도 기분 나빠."

하며 손을 교탁 아래로 숨겼다. 그러자 아이는 막무가내로 떼를 쓰기 시작한다.

"아, 한 번만! 한 번만!"

아이들이 떼쓸 때 사용하는 주특기가 나왔다.

그건 바로 '한 번만'.

계속 '한 번만'을 외치며 내 손을 잡으려고 한다. 나는 단호하게 아이를 쳐다보았다.

"싫어. 선생님은 안 하고 싶어."

연달아 거절당한 아이는,

"쳇"

하며 뒤로 들어가더니 아까의 팔씨름이와 팔씨름을 시작한다.

아이들은 아직 자기중심적이라서 상대의 감정이나 생각을 읽지 못한다. 심지어 기분이 나쁘다고 표현했어도 자신이 원하는 바를 하려 하는 성향이 아직은 강하다.

저들끼리 뭐가 그리 재밌는지 서로 거칠게 손등을 내리찍으며 낄낄 웃는다. 그러고는 더 자극이 필요한지 주변을 둘러보더니 가만히 있던 아이들에게 팔씨름을 건다.

“ 아 싫어.”

아이들이 몸을 빠르게 돌려서 팔씨름을 거부한다. 하지만 상대의 거부를 아랑곳하지 않고 자기 할 말을 한다.

“아, 한 번만!”

또 냅다 조르기 시작한다. 아이들이 난감한 표정으로 나를 쳐다본다.

안 되겠다. 여기서는 내가 개입해야겠다.

“ 상대가 싫다면 하지 마. 설득하려 하지 말고 그냥 하지 마. 싫다잖아. 장난은 나만 재밌는 게 아니라 상대도 재밌어야 해.”

“네”

단호한 선생님의 목소리에 풀이 죽은 두 아이가 터덜터덜 제자리로 돌아가서 앉는다. 그제야 다른 아이들의 얼굴에 잔잔한 평화가 돌아왔다.

이 아이들에게 악의가 없다는 것을 안다. 그저 또래 사이에 일어나는 장난일 뿐일 수 있다. 그러나 이건 옳지 않다.

물론 하나의 에피소드라 생각하며 넘어갈 수도 있다. 그러나 교실 안에서도 싫은 일을 강요하는 게 한번 허용되면, 강요하는 일은 또 다시 일어나리라.

모든 인간관계가 그렇다. 상대의 마음이 내 마음과 똑같지 않아서 서운하거나 아쉽더라도, 어쩔 수 없다. 거기까지다. 거기에서 멈춰야 한다.

싫다는 사람에게는 그냥 안 해야 한다. 무슨 이유가 더 필요한가. 싫다는 게 하나의 이유기 때문이다.

아이들은 아직 공감 능력이 발달하지 못하여 상대가 내 생각과 다를 수 있다는 사실을 받아들이지 못한다. 그도 이해가 되는 게, 중학생들은 또래 문화가 중요한 나이라서 다 같이 함께하는 것을 당연하게 생각한다.

다 함께하는 공동체 역량도 중요하다. 그러한 공동체 정신을 기름과 동시에 자아를 인식할 수 있는 능력도 발전시켜야 한다.

즉, 싫은 건 싫다고 말할 수 있고, 나와 상대는 다를 수 있다는 사실을 아이들도 인지해야 한다.

잘못된 점을 다정하지만 단호하게 알려주는 것. 그것이 우리 어른들이 아이들에게 해야 할 역할이지 않을까.

7" 발표하기	3단원 발표		김 팔 씨름, 박 기침	
3" 발표하기	3단원 발표	발표 유의점 정리		
4" 발표하기	3단원 발표	118, 119쪽		
5" 발표하기	3단원 발표			
2" 발표하기	3단원 발표	지문 내용 정리	발표 구성 3단계	
7" 발표하기	3단원 발표	지문, 발표 유의점 정리		핵심정리
2" 토론하기	2단원 토론	민재 마음이 대화	이는 맨날 잠....	
5"발표하기	3단원 발표	발표 유의점 정리	박 지각	
1" 발표하기	3단원 발표	발표 유의점 정리		
4" 발표하기	3단원 발표	발표 유의점 정리		핵심정리
3" 발표하기	3단원 발표	120, 121쪽		핵심정리
2" 발표하기	3단원 발표	120, 121쪽	양 잠. 수업 대답 텐션 좋음.	
5" 발표하기	3단원 발표	120, 121쪽		
6" 토론하기	2단원 토론		조 노래, 춤—> 지도 불응	
5" 발표하기	3단원 발표	120, 121쪽		
2" 토론하기	2단원 토론	읽기 어려움 모둠활동	이 자율시간에 '왜 못 자나' 물음→ 못 자는 건 자유 시간이 아니라고 함→ 혜택과 권리를 구분하라고 지도함	
3" 발표하기	3단원 발표	120쪽, 121쪽	박 3회 지도—> 창가 바라봄. 손 1회 지도—> 창가 바라봄.	

▲ 수업 일지를 꼼꼼하게 적는 편이다.

그래야 근거가 명확하여
아이들을 지도할 때 도움이 되기 때문이다.

5.

떨어지는 벚꽃이 아련한 15세의 꽃잎

"창가 그만 보고 칠판 보세요."

배시시-

한번 나를 돌아보더니 웃는다. 그것도 예쁘게.

"한 번 더 창가 보면 경고 없이 벌점 처리합니다."

씨익-

봄을 닮은 아이의 미소는 싱그럽게 빛난다.

수업에 집중하지 못하고 딴짓하는 것이므로 혼내야 하지만, 그 예쁜 미소를 보고 있으면 쉽지 않다.

- 아이는 뭘 보고 있는 걸까.

4월 초의 햇살이 참 따갑다. 봄의 햇살이 설레는 아이들은 그저 말없이 웃기만 할 뿐이다.

- 밖이라도 나가서 야외수업을 해야 했을까?

사실 밖에 나가서 사진 찍자는 아이들의 요구는 매년 있는 일이다.

그러나 그럴 수 없다. 아직 시험 범위 진도를 다 나가지 못했기 때문이다. 국어 과목의 진도 나가기는 참 빠듯하다.

3월의 새 학기가 시작하고, 봄바람이 살랑이면 우리의 마음도 바람을 따라 일렁인다.

얼었던 땅이 포근한 햇살에 안겨서 녹으면, 아이들의 마음도 녹아서 움직인다. 이런 날씨에 아이들의 시선을 칠판으로 이끄는 것은 더욱 힘이 든다.

우리 학교 2학년 1반에는 운동부인 여학생이 있다. 이 여학생은 새까맣게 그을린 피부가 참 건강해 보이고, 긴 생머리는 질끈 묶어서 깔끔한 인상을 주기도 했다.

훈련이 있는 오후에는 교실에서 자주 볼 수 없다.

그러나 수업할 때만큼은 누구보다 열심히 필기하고 집중하던 학생이었다. 나는 이 아이를 본 책에서는 '꽃잎'이라고 부르려고 한다.

꽃잎이는 작년 1학년 때 처음 만났다.

– 작년에 만난 꽃잎이의 봄은 어땠을까.

가만히 떠올려 보면 사실 잘 기억나지 않는다. 왜냐하면 새 학기가 막 시작한 꽃잎이의 봄은 코로나 19 감염이었기 때문이다.

꽃이 만개할 때의 꽃잎이는 없었다. 코로나 19에 걸린 꽃잎이는 벚꽃이 다 지고 나서야 볼 수 있었다.

비를 맞은 꽃잎이 우수수 떨어질 때가 되어서야 일주일 격리에서 벗어났다. 그래서 그저 내 기억의 꽃잎이는 착실하고 집중력이 좋은, 건강한 매력의 장점이 많은 학생이었다.

그런 꽃잎이에게 올해의 봄은 유독 이상했다. 꽃잎이가 멍하니 창밖을 바라보고 있는 횟수가 많아졌고, 지도하면 배시시 웃다가 이내 창가로 시선을 돌렸다.

– 그럴 아이가 아닌데. 혹시 학교생활에 무슨 문제가 있었을까?

멍하니 창밖을 보는 나날들이 늘어나자, 나는 결심했다. 꽃잎이의 이야기를 들어보기로.

따사로운 햇살이 일렁이는 어느 날,

나는 정규 수업이 모두 끝나고 꽃잎이를 조용한 공간으로 따로 불러서 조심스레 물어보았다.

"꽃잎아, 요즘 수업에 집중하지 못하고 창밖을 자주 보던데, 무슨 일이 있어?"

"아녜요."

꽃잎이가 담담하게 대답했다.

"무슨 일이 없는 거지? 혹시 있으면 선생님은 언제든지 들어줄 준비가 되었으니까 말해줘, 알겠지?"

네-

아이에게 이야기를 강요할 수 없었다. 그래서 그냥 돌려보냈다. 하지만 교정 곳곳에서 마주칠 때마다 꽃잎이에게 따뜻함과 신뢰의 눈빛을 계속 전달해 주었다.

그다음 시간에도 꽃잎이의 시선은 뜨거운 햇살이 비치는 창가로 향했다.

– 눈부신 햇빛을 가릴 블라인드도 걷어내면서까지 뭘 그리 보고 있는 걸까. 창밖의 무엇이 꽃잎이의 시선을 이끌었을까.

궁금증을 뒤로 한 채, 수업을 진행했다.

정해진 수업을 다 하고 마이크를 정리하는 그때, 꽃잎이가 교탁 앞으로 뚜벅뚜벅 걸어나왔다. 그리고 먼저 말을 시작했다.

“선생님, 저 벚꽃은 잠깐만 피고, 지잖아요. 아름다움은 잠깐인 것 같아요.”

이 아이는 분명히 내게 하고 싶은 말이 있는 듯하다. 좀 더 꽃잎이의 이야기를 들어보고 싶었다. 그래서 말을 더 할 수 있도록 유도하기 시작했다.

– 예쁜 벚꽃을 보고 왜 그런 생각을 했을까?

잠깐 머뭇거리던 꽃잎이는 이내 결심한 듯, 차분하게 말하기 시작했다.

"더 잘 하고 싶어요."

어렵게 털어놓은 꽃잎이의 이야기는 다음과 같았다.

꽃잎이는 자신이 하는 운동이 너무나 좋았다. 성실하게 임하는 만큼 잘한다는 소리를 매번 들으며 지내는 학생이었다. 그러다 보니 이 운동을 더 잘 해내고 싶다는 욕망이 앞섰다.

꽃잎이는 잘한다는 소리를 자꾸 들으니 마음속 뭔가가 이상해졌다.

혹여나 컨디션이 좋지 못한 날에는 부진한 결과를 들키고 싶지 않았다고 한다. 훈련이 힘이 들 때마다 자신의 못남이 들킬까봐 전전긍긍했다.

그래서 저 창밖의 벚꽃처럼 자신의 빛남도 잠시라고 생각했고, 내리막길을 걷고 있을까 불안해했다.

이처럼 성실하고 우수한 성적을 내는 아이도 불안을 느꼈다.

"꽃잎아. 우리는 그저 매 순간 최선을 다할 뿐이야. 내가 무언가를 이루기 위해 노력한 것 자체가 용기고 대단한 거야. 결과가 좋으면 감사한 거고, 아니면 다시 원인을 찾고 도전하면 되지. 너무 불안해하지 마. 지금까지 열심히 했고, 앞으로도 그럴 테니까."

꽃잎이가 조용히 고개를 끄덕인다.

나는 그날 결심했다.

아이들이 무언가를 해낸다면 노력한 과정을 칭찬하기로 했다. 무언가를 해냈을 때, '잘했다' 가 아닌 '노력했네' 로 어휘를 바꾸고자 했다.

아이니까 틀릴 수도 있고, 실수할 수도 있다. 우리는 그저 그 아이의 성장 가능성을 믿고 열심히 노력한 부분에 대한 언급을 많이 해주면 된다.

▲ 벚꽃이 흐드러지게 피는
3월 말, 4월초는
많은 이들을 사색에 빠지게 한다.

너3

존재만으로 귀한 국어 수업

1.

내 삶을 영상으로 그리는 영화제

우리가 국어를 배우는 이유는 다양하다. 빠르게 변화하는 사회에서 다양한 매체를 활용하여 실제 생활에 적용하는 수업을 하고 싶었다.

요즘은 1인 방송국, 1인 연예인이라고 할 만큼 영상에 자신을 노출하고 편집하는 일이 흔하다. 초등학생들의 장래 희망 5위 안에 항상 드는 것이 유튜버인 것도 낯선 일이 아니다.

이왕 관심 있는 일이 유튜버라면, 좀 더 저작권 개념을 확립하고 영상 편집 기술을 학교에서 배울 수 있다면 좋지 않을까?

그런 생각으로 여름방학 때 '1인 미디어 만들기' 수업을 들었다. 무려 현직 영화감독인 봉만대 감독님이 직접 오셔서 수업을 진행해 주는 고퀄리티 수업이었다.

현직 영화감독님의 생생한 현장 이야기도 들을 수 있고, 이론을 넘어서서 쉽게 촬영할 수 있는 노하우를 많이 배울 수 있는 귀한 시간이었다.

이제 이 경험을 학교 현장에 적용하고 싶었다. 어떻게 진행해야 할지 열심히 고민하던 때, 마침 순천에서 '스쿨 영화제'가 열린다는 공문이 왔다. 기회였다.

자유 학기제 수업을 신청한 아이들을 대상으로 영화 촬영 수업을 하기 시작했다.

'아이들이 낯설어서 잘할 수 있을까.'

걱정과는 다르게 아이들은 굉장히 잘했다. 오히려 유아 때부터 스마트 기기를 익숙하게 접했기 때문에 더 빨리 배우고 적용하는 것이었다.

아이들은 한 학기 내내 서로 감독이 되어 장면을 연출하고, 배우가 되어 연기를 하며, 편집자가 되어 영상의 맛을 살렸다.

이 노력의 결실을 맺듯이 아이들은 '스쿨 영화제'에서 입상했고, 자신들이 이룬 성취감에 뿌듯해했다.

영화 한 편이라는 결과물이 주는 뿌듯함이 생각보다 컸다. 아이들 자신이 감독, 혹은 배우, 편집자의 역할로 주도적인 과정을 이끌어가는 경험을 주는 것은 어떨까.

자신의 가치 있는 경험을 개성적인 발상과 표현으로 형상화하여 다양한 매체로 표현하기

S#	장면	지시문	대사

▲ 모둠에서 작가의 역할을 잘 하는 친구가 있다.
그 친구의 주도하에 스토리 보드를 만들되,
모두가 함께 참여하도록 지도한다.

▲ 스스로 감독이 되어 장면을 구성하고,
연출할 자료를 회의한다.

액션캠도 사용하지만,
자신의 핸드폰을 활용하여 다양한 장면을 연출한다. ▼

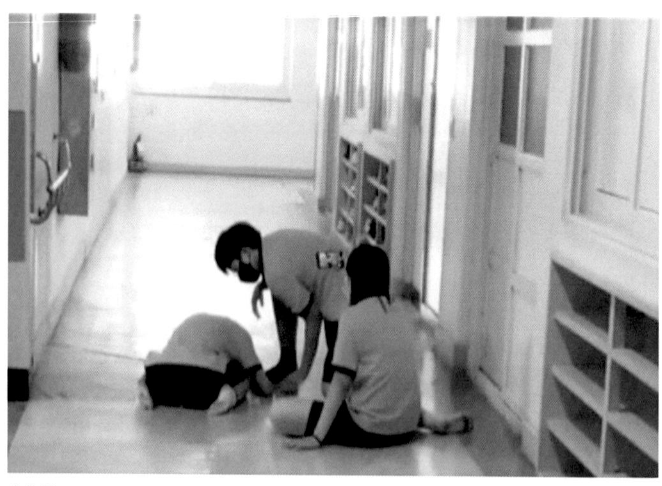

▲ 교사의 임장 속에서, 교실 밖 촬영도 한다.
안전 교육은 필수다.

교사가 영화 메이킹 촬영이라는 이름을 붙여서
영상을 만들어주면 아이들은 더 열심히 한다. ▼

2.

노래 가사로 쓰는 나의 서시

글쓰기를 재미있게 할 수 있는 방법이 무엇일까?

나는 음악을 더 해 글쓰기를 하는 방법을 추천한다. 하나의 노래가 탄생하기까지 곡의 음정이나 멜로디를 정하는 것이 중요하다. 이에 더해 사람들의 공감을 불러일으키는 작사나 감정의 동요를 일깨우는 가사가 있으면 더 완성도 높은 곡이 되기도 한다. 특히 음악의 가사는 어떠한 상황에 놓일 때, 보다 생각이 더 잘 나게 하는 매개가 되기도 한다.

나는 기존에 있는 노래에 가사만 바꿔서 자신만의 언어로 표현하는 수업을 즐겨한다. 이 방법은 내가 학창시절에 취미로 자주 하던 작문 방법이기 때문이다. 멜로디에 맞춰 내가 가진 언어를 재단하고 조정하면서 운율을 배울 수도 있다.

<노래 가사로 쓰는 나의 서시>

1. 내가 최근에 들은 노래나 바꿔 보고 싶은 노래를 먼저 선택한다.

2. 노래에 담긴 화자의 상황과 태도를 분류하여 기록한다.

3. 노래에서 인용할 가사 일부분을 적어본다.

4. 내가 바꾸고 싶은 가사의 내용을 줄글로 쓴다.

5. 4의 내용을 내가 인용한 일부분 가사의 틀에 맞게 조정한다.

6. 멜로디에 가사를 입혀 직접 노래해 본다.

오늘 당장 한번 도전해 보자. 생각보다 놀라운 반응이 많이 나온다.

요즘 아이돌 노래만 알 것 같던 아이들이 서정적인 노래를 쓰기도 한다. 내가 태어나기 전에 나왔던 김광석 가수의 노래나 70, 80년대 노래도 많이 쓴다.

그룹 빅뱅이 리메이크하여 유명해진 '붉은 노을' 역시 자주 등장하는 노래 중 하나다.

글을 쓴다는 것이 단순히 지겨운 과제가 아니라 일상에서 흥얼 거리며 만들 수 있다는 것.

그 경험 하나로 아이들의 글쓰기가 일상과 맞닿아 있길 바란다.

노래 한 부분을 설정해 스토리 만들기

차시		학반번호		이름	

1. 노래 제목/ 가수/ 작곡/ 작사 이름을 써주세요.	
2. 내가 '스토리를 만들 노래'의 가사를 3줄 이상 써주세요.	
3. 왜 '2'와 같은 부분을 선택했나요?	
4. 해당 노래의 뮤직비디오를 찾고 영상의 느낌을 써주세요. (유튜브 대체 가능)	
5. 위의 내용을 바탕으로 편지글, 일기, 소설, 수필, 시 중에 하나를 선택하여 스토리를 만들어주세요.	
6. 내가 '5'와 같은 글을 쓴 이유는 무엇인가요?	

▲ 아이들이 '시 파우치'를 만들기 전에 계획하는 활동을 먼저 진행한다. 그래야 작품을 구성하는 것에 미리 더 고민을 하고 스케치할 수 있다.

3.

내 감성을 머금을 시 파우치 만들기

[9국05-09 자신의 가치 있는 경험을 개성적인 발상과 표현으로 형상화한다.]

2022학년도 2학기는 내가 처음 맡은 '자유 학기제' 였다. 고등학교에만 있다가 중학교로 온 것도 낯선데, 자유 학기 수업을 진행하라고 했다.

'자유 학기제' 란 2015년부터 중학교에서 실시하고 있는 제도로 중학교와 관련 없는 기성세대에겐 다소 낯선 제도다.

아이들의 꿈과 끼를 발현하기 위하여 강의식 수업에서 벗어난 체험 중심 수업을 구성할 수 있어야 한다.

내가 할 국어의 자유 학기제는 이미 기존의 선생님이 지어놓은 '생각이 자라는 국어' 라는 제목이 붙어 있었다.

– '생각이 자라는 국어' 라.......

– 어떻게 하면 수업 이름에 딱 맞는 과정을 구성할

수 있을까.

생각의 꼬리가 계속 이어졌다.

내가 생각했을 때, 국어에서 가장 다양한 끼가 나올 수 있는 영역은 문학이었다.

그래서 기존에 있는 문학 작품을 활용하여 아이들의 생각을 확장 시키고 싶었다.

그래서 고안한 아이디어가 시와 미술을 융합하여 실용적인 결과물을 만드는 것이다.

작가는 작품을 통해 자신의 고유한 생각, 취향, 가치관 등을 표현한다.

이에 따라 아이들이 다양한 문학적 표현 방법 중에서 운율, 반어, 역설, 풍자의 원리와 그 효과에 대한 이해를 바탕으로 하여 학습자 스스로 자신의 개성을 살리는 문학 창작활동을 구성했다.

아이들이 문학 창작 활동을 보다 풍요롭게 수행할 수

있도록 하는 활동이 필요했다.

파우치에 내가 좋아하는 문학 작품을 적고, 그에 어울리는 시화를 그려서 언제나 들고 다니며 볼 수 있게 하는 활동이었다.

시 파우치 만들기 활동의 순서는 뒷 장에서 언급하고자 한다.

<시 파우치 만들기 순서>

1. 캔버스 재질의 파우치를 산다. 그래야 일반 사인펜이나 색연필을 사용해도 색깔이 쉽게 보인다.

2. 중학생이 쓸 만한, 시 몇 편을 추려서 유인물로 나눠준다. 이때, 시의 종류는 자유라고 말해주는 것이 좋다. 유인물은 문학 작품에 대한 배경지식이 적은 학생들을 위한 배려다. 시를 제한하지 않으면 아이들은 자신들의 평소 감성을 더 잘 드러내어서 좋다.

3. 파우치에 시를 먼저 쓸 수 있도록 한다. 그림을 먼저 그리면 시 쓸 공간이 부족할 수 있으므로 시를 먼저 적도록 지도한다.

4. 시에 어울리는 그림 스케치를 할 수 있도록 한다.

5. 스케치가 끝나면 색연필, 사인펜 등으로 색을 입히도록 한다.

시 파우치 만들기

날짜		학반번호		이름	

1. 내가 선택한 시 제목과 작가를 쓰시오.	
2. 내가 선택한 시를 옮겨 적으세요.	
3. 내가 그릴 파우치를 디자인해 주세요. (그림으로 그리기)	
4. 파우치를 어디에 사용할 건가요?	

▲ 아이들이 '시 파우치'를 만들기 전에
계획하는 활동을 먼저 진행한다.

그래야 작품을 구성하는 것에
미리 더 고민을 하고 스케치할 수 있다.

▲ 아이들의 '시 파우치'는
교내 축제에 전시되기도 했다.

▲ 만든 시 파우치를 서로 비교하면서
다양한 작품을 접할 수 있는 기회가 된다.

우리에게 익숙한 작품이
그림과 합쳐지며 하나의 예술이 된다. ▼

활동을 진행하다 보면 아이들이 시를 적는 위치나 그림의 구도 등을 많이 물어본다.

그럴 때는 교사가 조언을 해줘도 좋지만 결국에는 교사의 관점으로 해석하는 것이므로 조심할 필요가 있다.

대신 적절한 발문을 통해서 아이가 이 시를 어떻게 이해하고 있는지, 이 작품을 통해서 나는 어떤 파우치를 만들고 싶은지를 계속 질문하여 머리에 있는 상상을 표현할 수 있도록 유도하는 것이 좋다.

처음에는 표현을 낯설어하던 아이도 질문에 대한 대답을 찾아가는 과정에서 자신의 개성이 잘 드러나는 작품을 만들어 낸다.

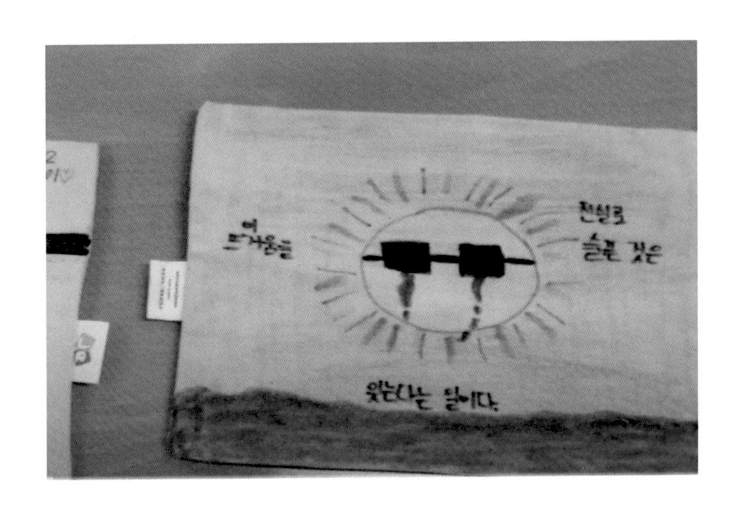

▲ 시 작품을 직관적인 그림으로 표현한 작품들이 많다.

교과서에 있는 문학 외에 자신이 인상 깊었던 작가의 작품도 시화로 많이 만든다. ▼

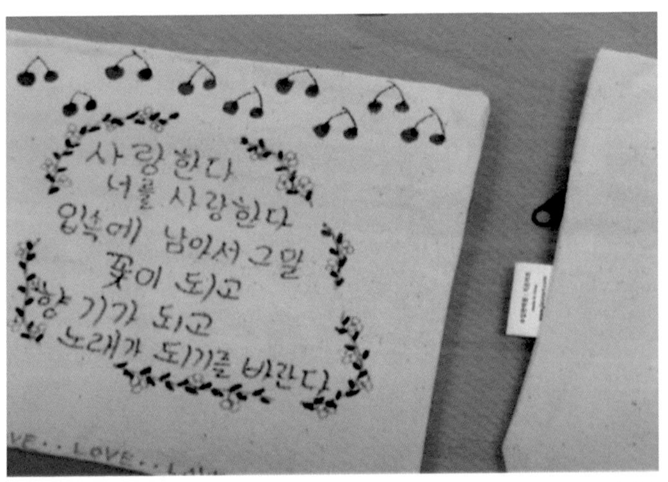

4.

자꾸 소개하고 싶은 발표 수업

[핵심 정보가 잘 드러나도록 내용을 구성하여 발표할 수 있다.]

2023학년도 중학교 2학년 1학기 첫 국어 수업.

아이들이 가장 먼저 마주한 단원은 '발표하기'였다.

'발표하기'라......

초등학교 고학년 시기에 코로나를 겪은 2009년생 전후 아이들은 말하는 것을 굉장히 어려워한다. 언어 구성을 본격적으로 배울 시기에 마스크가 씌워졌기 때문이다.

이와 더불어 예전에는 사교적이고 활발한 사람을 높게 쳤다면, 요즘은

'나 MBTI I야~'

가 유행하면서 조용하고 자기 내면에 집중하는 사람이 멋있어 보이기도 한다.

어느 정도 동의는 한다. 그렇다고 해서 국어 시간에 말하기 시간을 대충 넘어갈 순 없다. 우리가 살면서 자신을 소개하거나 내가 만든 성과를 발표해야 할 일이 너무나 많기 때문이다.

“너희가 여수에서만큼은 발표 제일 잘하게 내가 만들어 줄게.”

라고 당당하게 내뱉었다.

그러나 어떻게 하면 아이들의 참여를 적극적으로 이끌지 고민이 많았다. 아이들이 ‘평가당한다’ 라는 느낌 없이 자연스럽게 자신의 의견을 전달하는 기회. 그러한 경험을 선물해 주고 싶었다.

그래서 생각해 낸 주제가 ‘인물 소개하기’ 였다.

굳이 실존 인물이 아니더라도 좋았다. 자신이 소개해 주고 싶은 인물.

그것이 자기 자신이 될 수도 있고, 가족 혹은 친구가 되어도 좋다. 더 나아가 가상 인물이나 연예인이어도 환

영이었다.

먼저 발표는 '정보를 전달하는 말하기'이므로 신뢰성을 확보하는 게 가장 중요했다.

보통 신뢰성을 높이기 위해서는 전문가의 말을 인용하거나 출처를 밝히는 것이 중요하다. 하지만 중학생의 입장에 발표자의 신뢰성을 높이려면 무엇을 해야 할까?

발표자 자신이 누군지를 밝힐 수 있는 증명이 필요했다. 같은 반에 있다고 해서 모두를 아는 건 아니니까.

그래서 바로 시작한 것이 '명함 만들기'다.

명함 만들기는 아래와 같은 순서로 진행하였다. 뒷 장에서 언급하고자 한다.

<명함 만들기 수업 순서>

1. 명함 용지를 구매한다.

2. '미리 캔버스' 등에서 명함 템플릿을 활용하여 디자인하게 한다. 이때, 아이들의 흥미를 위하여 직업란에는 학생 대신 갖고 싶은 직업을 작성하게 한다.

3. 디자인된 명함을 '띵커벨 보드'에 올릴 수 있도록 QR코드를 공유한다.

4. '띵커벨 보드'에 올라 온 명함을 인쇄하여 각자 나눠준다.

5. 학생들은 본격적인 발표를 하기 전에 자신의 명함을 전달하며 발표자의 신뢰성을 높인다.

일률적인 템플릿이 아니라 자신의 개성이 드러나는 디자인이 담긴 명함을 만들도록 지도했다.

일률적이면 교사는 편하다.

하지만 아이들의 개성은 줄어든다. 그래서 내가 가지고 있는 감각을 표현하는 것 역시 경험이라 생각하여 자유롭게 지도하였다.

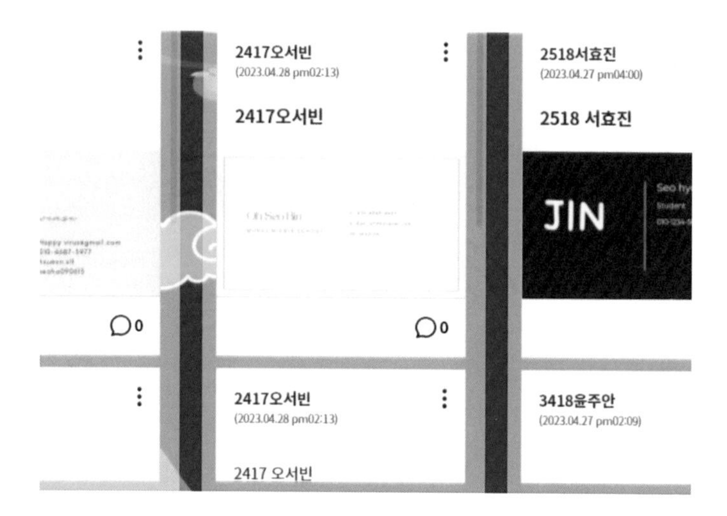

▲ 띵커벨로 업로드를 하면 한 화면에
다양한 명함을 한 눈에 볼 수 있다.

자신이 명함을 만든 의도와 표현하려고 했던 내용을
진지하게 발표하는 모습이 인상 깊다. ▼

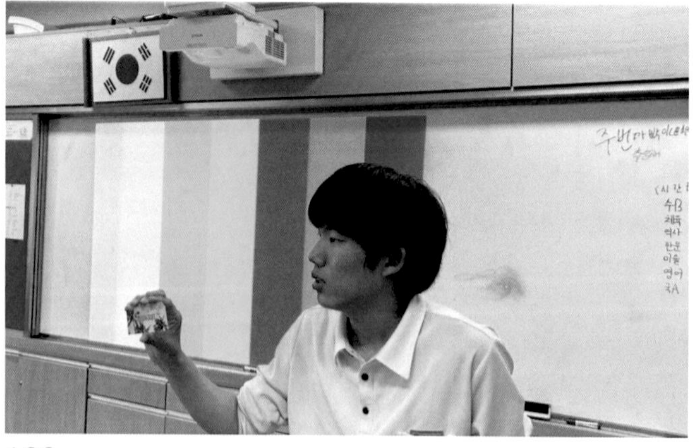

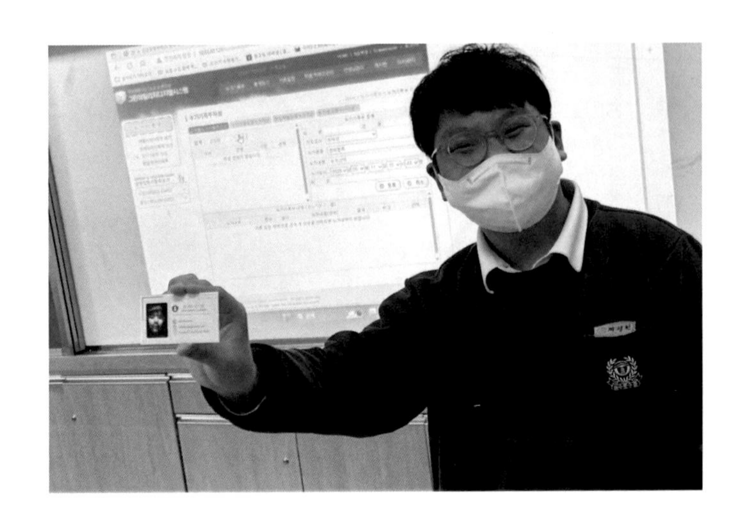

▲ 명함이 실제 결과로 나오면,
아이들이 많이 신기해한다.

자신의 꿈을 진지한 모습으로 표현하고,
핵심 정보를 잘 구성하는 발표도 잘한다. ▼

명함에는 자기의 얼굴을 넣은 학생도 있고, 자기가 꿈꾸는 직업을 가진 사람을 넣는 친구도 있었다. 그리고 깔끔한 디자인을 선호하는 아이, 온갖 색깔을 다 넣어서 자신을 표현하는 아이 등 아이들 고유의 취향을 드러났다.

실제 명함을 받은 아이들은 함박웃음을 짓는다. 청소년기에서 주로 볼 수 있는 자신이 특별하다는 느낌을 받을 수 있기 때문이다.

이에 더하여 아이들의 명함을 한 장씩 더 출력하여 복도에 걸어주면 재미가 상승한다. 서로의 명함을 구경하는 재미도 있고, 원하는 직업을 기재함으로써 그 학생의 관심사도 알 수 있다.

이때, 개인정보 보호를 위해 전화번호는 주소는 가짜로 적어도 좋다. 그래도 자기를 표현하는 게 즐거운지 사실대로 다 적어서 연락처를 확보하는 아이도 있다.

인스타 아이디나 계좌번호를 적는 친구도 있었다.

점점 더 빠르게 변화하는 사회다. 자신을 PR해야 하

는 이 시대에 아이들의 사진도 찍어주면 좋다.

물론 처음에는 부끄러워하는 친구들이 많다. 그러나 자신을 드러내고 발표하는 연습을 지금부터 해야 나중이 편하다는 명분을 계속 주면, 나중에는 카메라를 전혀 의식하지 않게 된다. 아이들은 행동해야 하는 이유가 이해되면 빨리 수긍한다.

간혹 '말하기 불안'을 느끼는 친구도 있다. 이런 학생에게는 말하기 활동에 대하여 긍정적인 피드백을 구체적으로 제공하는 것이 중요하다.

다행히 이번 '발표하기'를 진행한 학년은 내가 작년부터 '말하기 연습'을 꾸준히 시킨 아이들이다. 말하기를 부끄러워할 때마다 내가 늘 하는 말이 있다.

"앞에 나와서 말한다는 것 자체가 용기고 대단한 거야. 오히려 앞에 나올 용기도 없으면서 비난하거나 뭐라고 하는 친구들이 비겁한 거야."

라고 말이다.
공식적인 말하기 상황에서 느끼는 불편은 이런 작은 피드백으로도 꽤 완화된다. 남을 평가하는 게 재밌어도 자신이 공식적으로 비겁한 사람이 되긴 싫기 때문이다.

물론 '말하기 불안'을 극복하는 기본은 자신에게 맞는 여러 방법을 실제로 연습해 보는 게 중요하다.

자신이나 주변을 소개하는 건 편안한 소재다. 편안한 소재부터 시작하여 아이들이 말하기를 편하게 느낄 수 있도록 지도하자.

이때, 선생님의 사례를 드는 것도 좋다. 우리는 선생님이 되기까지 수많은 수업 시연과 말하기 연습을 통해 이루어진 결과기 때문이다.

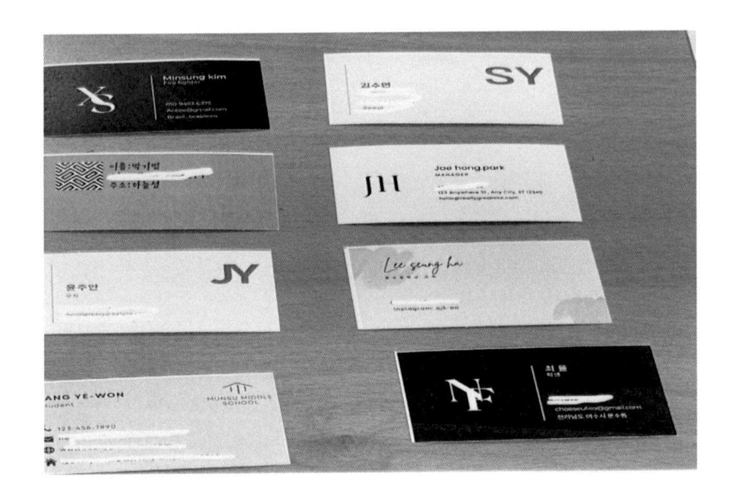

명함 만들기를 통해서
아이들의 다양한 장래희망과
관심사를 알 수 있다.

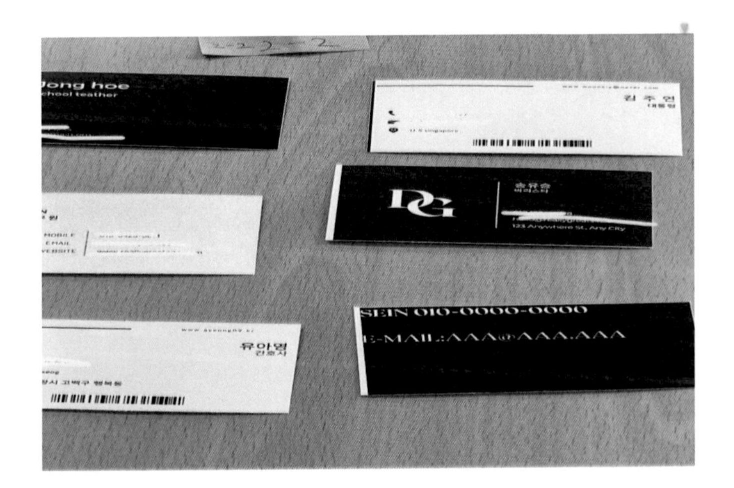